CHAPLEAU 2016

Catalogage avant publication de Bibliothèque et Archives
nationales du Québec et Bibliothèque et Archives Canada

Chapleau, Serge, 1945-
L'année Chapleau

ISSN 1202-8495
ISBN 978-2-89705-466-3

1. Caricatures et dessins humoristiques - Canada. 2. Canada - Politique
et gouvernement - 2015-   - Caricatures et dessins humoristiques.
3. Québec (Province) - Politique et gouvernement - 2014-   - Caricatures
et dessins humoristiques. I. Titre.

NC1449.C45A4   741.5'971   C95-300755-3

Présidente : Caroline Jamet
Directeur de l'édition : Jean-François Bouchard
Directrice de la commercialisation : Sandrine Donkers
Responsable, gestion de la production : Carla Menza
Communications : Marie-Pierre Hamel

Éditrice déléguée : Sylvie Latour
Conception graphique : Célia Provencher-Galarneau
Rédaction des textes : Nicolas Forget
Correction d'épreuves : France Lafuste

L'éditeur bénéficie du soutien de la Société de développement des
entreprises culturelles du Québec (SODEC) pour son programme
d'édition et pour ses activités de promotion.

L'éditeur remercie le gouvernement du Québec de l'aide financière
accordée à l'édition de cet ouvrage par l'entremise du Programme
de crédit d'impôt pour l'édition de livres, administré par la SODEC.

Nous reconnaissons l'aide financière du gouvernement du Canada
par l'entremise du Fonds du livre du Canada (FLC).

LES ÉDITIONS **LA PRESSE**
Les Éditions La Presse
750, boul. Saint-Laurent
Montréal (Québec)
H2Y 2Z4

CHAPLEAU 2016

LES ÉDITIONS LA PRESSE

La lune de miel de Saint Justin

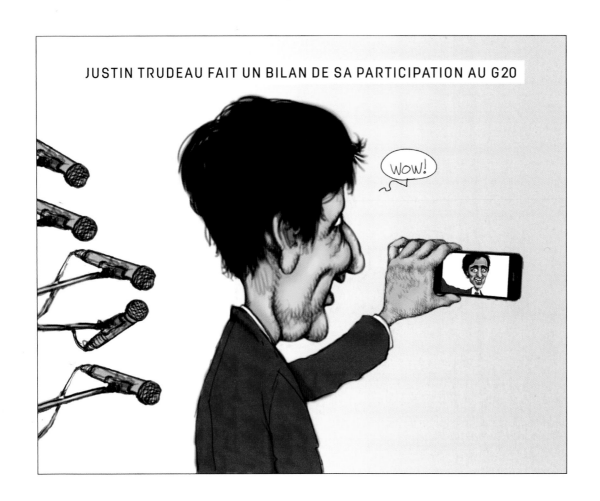

CET HOMME…

A) VIENT DE GAGNER À LA LOTO
B) VIENT DE FINIR LA LECTURE DU RAPPORT
   DE LA COMMISSION CHARBONNEAU

Le maire de Saguenay refuse d'accommoder des adeptes du nudisme.

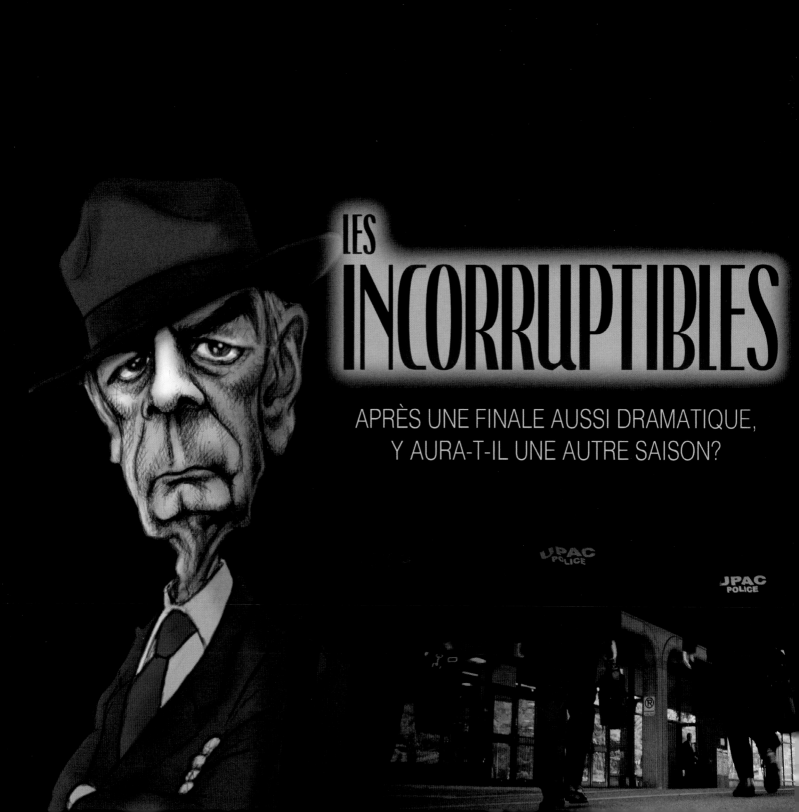

LES
INCORRUPTIBLES

APRÈS UNE FINALE AUSSI DRAMATIQUE,
Y AURA-T-IL UNE AUTRE SAISON?

Chaque année, au grand plaisir du caricaturiste, l'actualité consacre de nouvelles « vedettes » de la scène politique. Cette fois-ci, ce fut au tour de Martin Coiteux. Et il nous a prouvé que ce n'est pas parce qu'il est austère qu'il ne peut pas nous amuser.

LES NÉGOCIATIONS CONTINUENT DANS LE SECTEUR PUBLIC

NÉGOCIATIONS DANS LA FONCTION PUBLIQUE
« On est à des années-lumière de s'entendre », dit Coiteux
LES SYNDIQUÉS POURRAIENT FAIRE UN PETIT EFFORT DE RAPPROCHEMENT !

LES CHIENS SERAIENT CAPABLES DE PERCEVOIR NOS ÉMOTIONS

MERCI À MORRIS POUR L'EMPRUNT DE RANTANPLAN

LE PACTE FISCAL MODIFIÉ ? MARTIN COITEUX S'EXPLIQUE… À TRAVERS L'ŒUVRE DE SON IDOLE

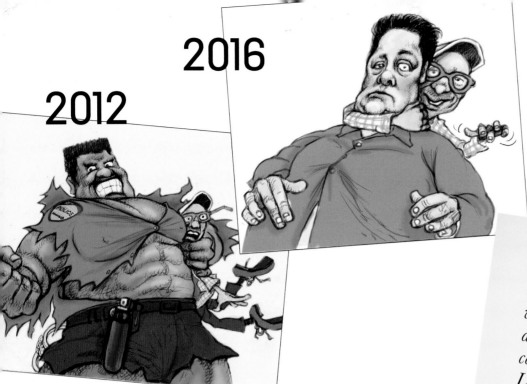

2012

2016

Il est toujours agréable de voir ressurgir d'anciennes vedettes de l'actualité qu'on a jadis eu tant de plaisir à caricaturer. Merci à Jean Lapierre, le syndicaliste, pour son comeback.

JEAN LAPIERRE DE RETOUR
AVEC LES BONNES VIEILLES MÉTHODES

LES MINITROTTOIRS DU PLATEAU :
QU'EN PENSE MONSIEUR TROTTOIR ?

LES MINITROTTOIRS DU PLATEAU :
QU'EN PENSE GAÉTAN BARRETTE ?

LE MAIRE CODERRE
REFAIT SURFACE

LE DÉVERSEMENT D'EAUX USÉES EST COMMENCÉ,
LA VILLE DEMANDE AUX CITOYENS DE FAIRE LEUR PART

Denis Coderre inspecte les égouts
dans un accoutrement remarqué

AS-TU PRIS
TON IMODIUM ?

LE NOUVEAU PHILIPPE COUILLARD À LA COP 21

PHILIPPE COUILLARD ...
A) EST PLUS VERT QUE JAMAIS
B) NE DIGÈRE PAS LA TAXE CARBONE

Telle une étoile filante, PKP est disparu de la scène politique aussi vite qu'il était apparu. Dommage. On commençait juste à s'amuser…

LE PLAN SECRET DU PQ

APRÈS LA FUSION NUCLÉAIRE, LA FUSION DES FORCES SOUVERAINISTES

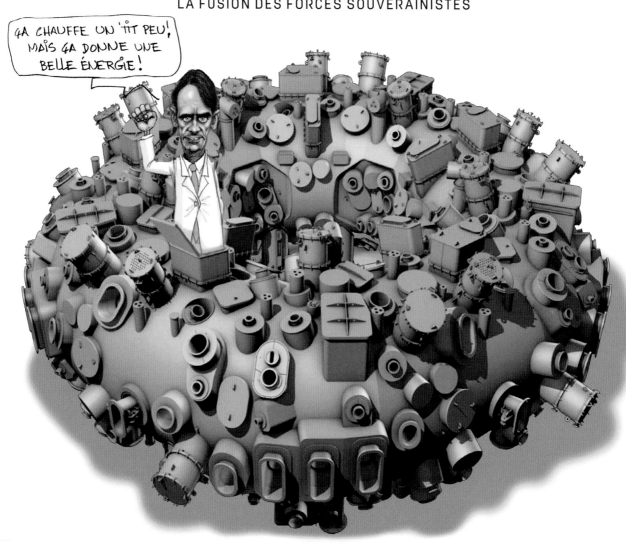

Des scientifiques allemands testent un réacteur à fusion nucléaire.

PKP RÉAGIT À LA DÉCLARATION DU LEADER AUTOCHTONE
GHISLAIN PICARD SUR LA PARTITION DU QUÉBEC

PANAMA PAPERS

À CHACUN SON FARDEAU

QUÉBEC SOLIDAIRE REFUSE LA MAIN TENDUE DU PARTI QUÉBÉCOIS

Si une formation m'a donné beaucoup de travail au cours de la dernière année, c'est bien le PLQ. L'encre d'un dessin relatant la gaffe d'un ministre n'avait pas le temps de sécher qu'un autre membre du caucus commettait une bévue. Dès lors, je devais me remettre au boulot. C'est un traitement quasi inhumain que les Libéraux m'ont fait subir.

FUGUES AU CENTRE JEUNESSE :
LES EXPLICATIONS CLAIRES DE LA MINISTRE LUCIE CHARLEBOIS

En commission parlementaire, Sam Hamad parle « d'inventer la roue à trois boutons ».

UNE ENQUÊTE DU COMMISSAIRE À L'ÉTHIQUE DEMANDÉE PAR L'OPPOSITION… ET HAMAD

SAM HAMAD EN VACANCES EN FLORIDE

Sam Hamad invoque des ennuis de santé pour se retirer temporairement de ses fonctions.

BARRETTE REVIENT SUR LES DÉCLARATIONS
CONCERNANT DIANE LAMARRE

MATCH BARRETTE-LAMARRE À TLMEP

JEAN CHAREST :
CONSEILLER EN COMMUNICATION POUR TRANSCANADA

LE BUDGET TANT ATTENDU DE LEITAO

Nathalie Normandeau arrêtée le jour même du dépôt du budget.

LA CLÉ DE DAMOCLÈS

Une clé USB contenant des renseignements
liés au MTQ fait la manchette.

L'EFFET LIBÉRAL DANS LES SONDAGES

LA CAUSE DU MALAISE DE PIERRE MOREAU

Un personnage aussi coloré que Donald Trump (et on ne parle pas juste des cheveux), cela n'arrive qu'une fois tous les cent ans. Mais dessiner M. Trump n'est pas une sinécure, car il est parfois ardu de rendre la caricature aussi loufoque que l'original.

DONALD TRUMP : DE MIEUX EN MIEUX

COURSE CHEZ LES DÉMOCRATES

FORT DE MES APPUIS, JE ME BATTRAI JUSQU'AU BOUT!

TRUMP EST FURIEUX...

LE VRAI VISAGE DE DONALD TRUMP

LES DEUX GAGNANTS

LE NOUVEAU TÉLÉPHONE INTELLIGENT DE HILLARY

Hillary Clinton aurait utilisé son propre téléphone intelligent pour transmettre des renseignements top secret.

*Il y a parfois
des dessins qu'on
préférerait ne jamais
avoir à faire.*

JEAN LAPIERRE
1956-2016

ALL IN!

RENÉ ANGÉLIL
1942-2016

Les révélations à propos du cinéaste Claude Jutra nous ont tous laissés sans voix. L'affaire n'avait certes rien d'amusant, mais compte tenu de son ampleur et de sa résonance, je sentais qu'il était de mon devoir de la traiter.

JE M'EXCUSE...

Jian Ghomeshi présente des excuses
pour éviter un autre procès.

La CSDM veut offrir des toilettes neutres
à ses élèves transgenres.

PÉNITENTIER DE DRUMMONDVILLE :
DES DÉTENUS RÉCLAMENT
UN NETTOYAGE DES DENTS

ET DANS CHAQUE CELLULE, JE FOURNIRAI UN BON BOUT DE SOIE DENTAIRE !

LE FÉDÉRAL À LA DÉFENSE DE LA RAINETTE FAUX-GRILLON

LES LIMITES DE LA LIBERTÉ D'EXPRESSION

LE PROJET DE TRAIN ÉLECTRIQUE DE LA CAISSE DE DÉPÔT POURRAIT ENTRAÎNER LA DISPARITION DE LA COULEUVRE BRUNE ET DU PETIT BLONGIOS

Si le chien est le meilleur ami de l'homme, on peut dire que le pitbull a été, cette année, le meilleur ami du caricaturiste…

PITBULL:
LE PROBLÈME EST À L'AUTRE BOUT AUX DEUX BOUTS DE LA LAISSE

POUR RÉGLER LE PROBLÈME
DES CALÈCHES ET DES PITBULLS

Le métier de caricaturiste en est souvent un de solitude. Inutile de dire qu'on est très heureux lorsqu'on se fait offrir un coup de main.

MAXIME BERNIER SE LANCE DANS LA COURSE

APRÈS VÉRONIQUE HIVON, ALEXANDRE CLOUTIER
SE LANCE DANS LA COURSE

MARTINE OUELLET SE LANCE DANS LA COURSE

JEAN-FRANÇOIS LISÉE VEUT NOUS MONTRER SON CÔTÉ GIVRÉ

ON FAISAIT ALLUSION AUX CÉRÉALES, JEAN-FRANÇOIS... AUX CÉRÉALES!!!

Paul St-Pierre Plamondon était certes le moins connu des aspirants chefs péquistes. En début de course, je me suis donc amusé à ne le dessiner que très partiellement. Puis, je lui ai fait un peu plus de place. Qui sait, si la campagne avait duré encore dix ou douze mois, on l'aurait peut-être aperçu au complet.

PQ : COMMENT RENDRE LA COURSE À LA DIRECTION
ENCORE PLUS PALPITANTE

79

LE TON REDESCEND

LA BONNE ENTENTE EST REVENUE AU PLQ

POËTI RESTE DANS LE CAUCUS DU PARTI LIBÉRAL

On reproche à l'ex-ministre Poëti de manquer de loyauté envers son chef.

Christine St-Pierre protège Philippe Couillard d'un manifestant agressif.

LAVAGE DE LINGE SALE EN FAMILLE
Le PLQ tient un caucus extraordinaire
pour calmer la grogne de certains députés.

COUILLARD RETROUVE SON SAM

2013

2016

«UN ÉLU QUI CHOISIT DE SON PLEIN GRÉ DE DÉMISSIONNER EN COURS DE MANDAT NE RESPECTE PAS LE CONTRAT MORAL QU'IL A PRIS AVEC SES ÉLECTEURS»

SUBVENTION DE 63 MILLIONS POUR RAJEUNIR L'ORATOIRE

RÉSERVÉ AUX PÈLERINS QUI MONTENT À GENOUX

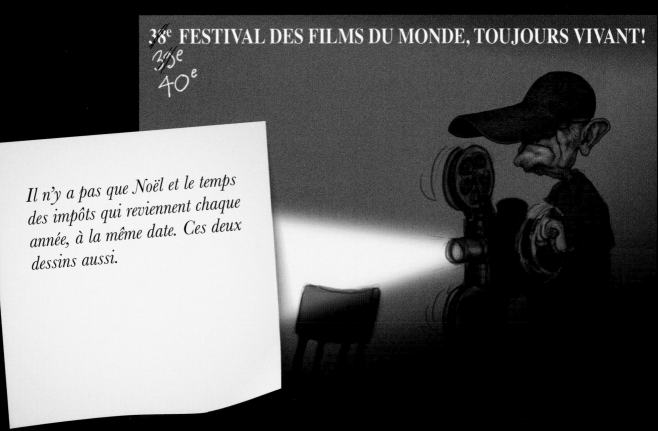

Il n'y a pas que Noël et le temps des impôts qui reviennent chaque année, à la même date. Ces deux dessins aussi.

AIRBNB : FERRANDEZ ENGAGE DES DÉTECTIVES PRIVÉS
POUR CONTRER L'HÉBERGEMENT ILLÉGAL

La vente de Rona revient hanter Jacques Daoust.

JANVIER 2015

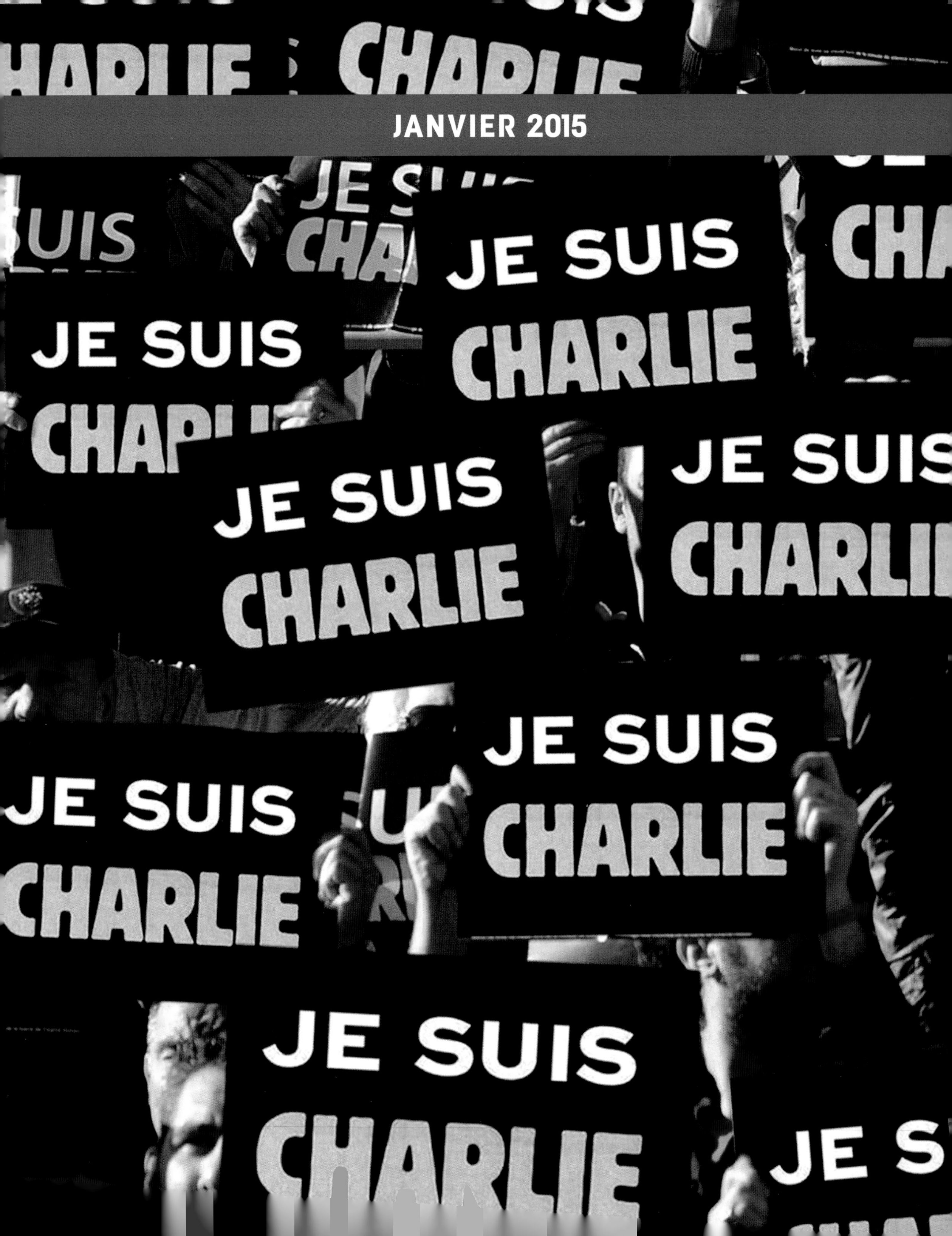

JANVIER 2016

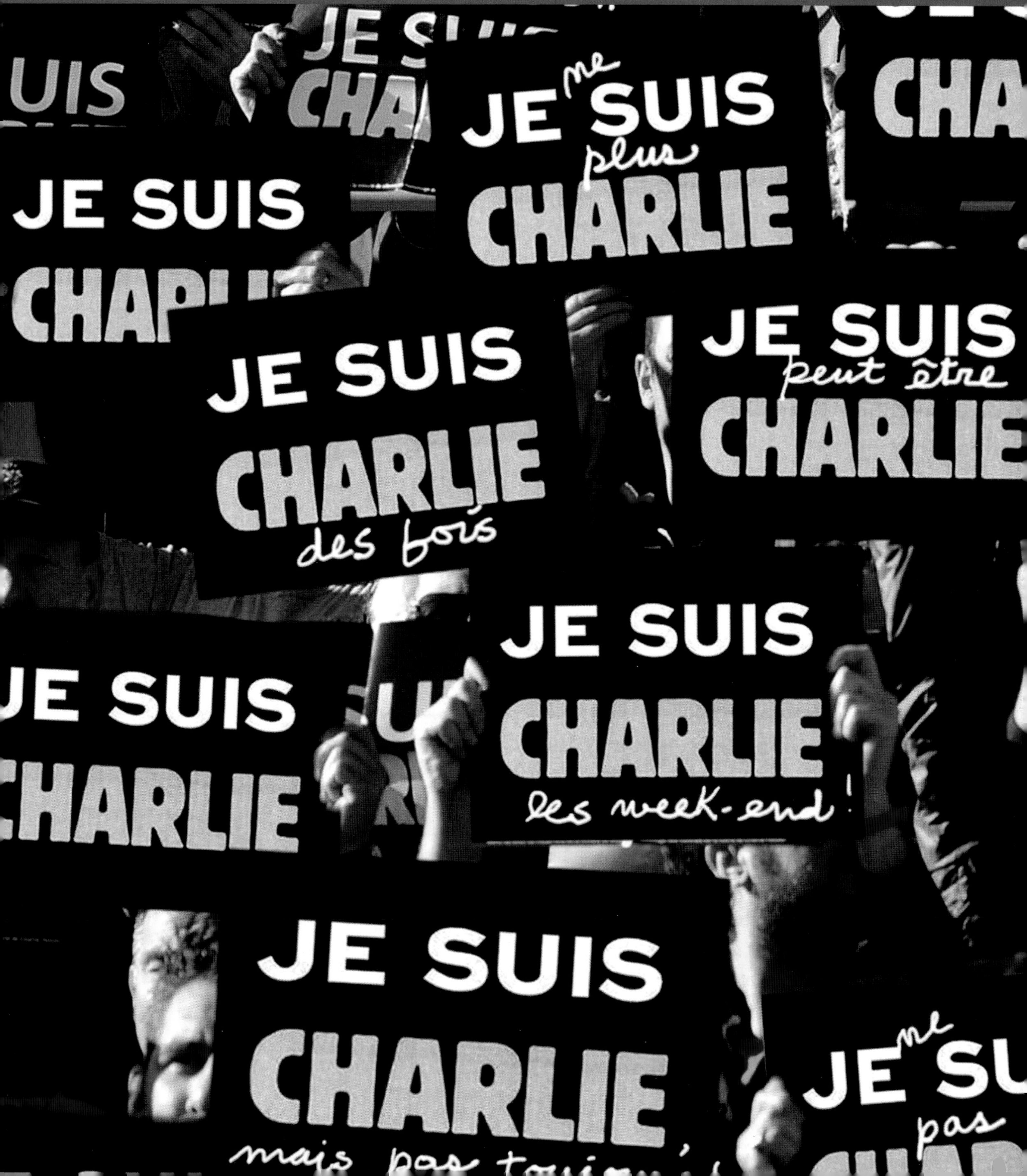

JUSTIN TRUDEAU REÇOIT LE PRÉSIDENT MEXICAIN, ENRIQUE PENA NIETO

LOS TRES AMIGOS

NIGEL FARAGE, LEADER DU BREXIT, DÉMISSIONNE

Québec : le surplus budgétaire atteint 1,8 milliard de dollars.

DES RÉFUGIÉS SE QUALIFIENT AUX OLYMPIQUES...

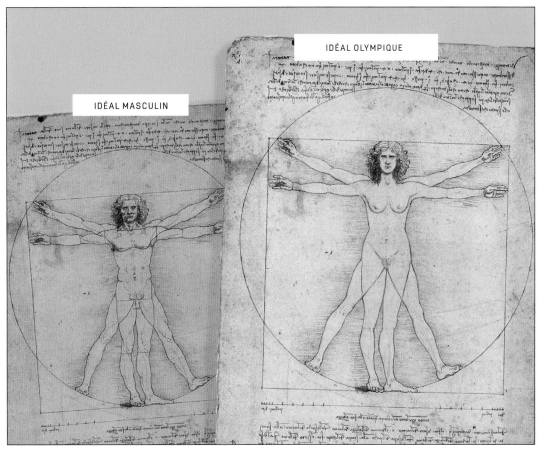

IDÉAL MASCULIN

IDÉAL OLYMPIQUE

CAUCUS DU PQ : C'EST PARTI !

Martine Ouellet exclue d'une publicité du PQ.

LAURENT LESSARD DÉFEND SON INTÉGRITÉ

JANE PHILPOTT S'APPRÊTE À NÉGOCIER LES TRANSFERTS FÉDÉRAUX EN SANTÉ

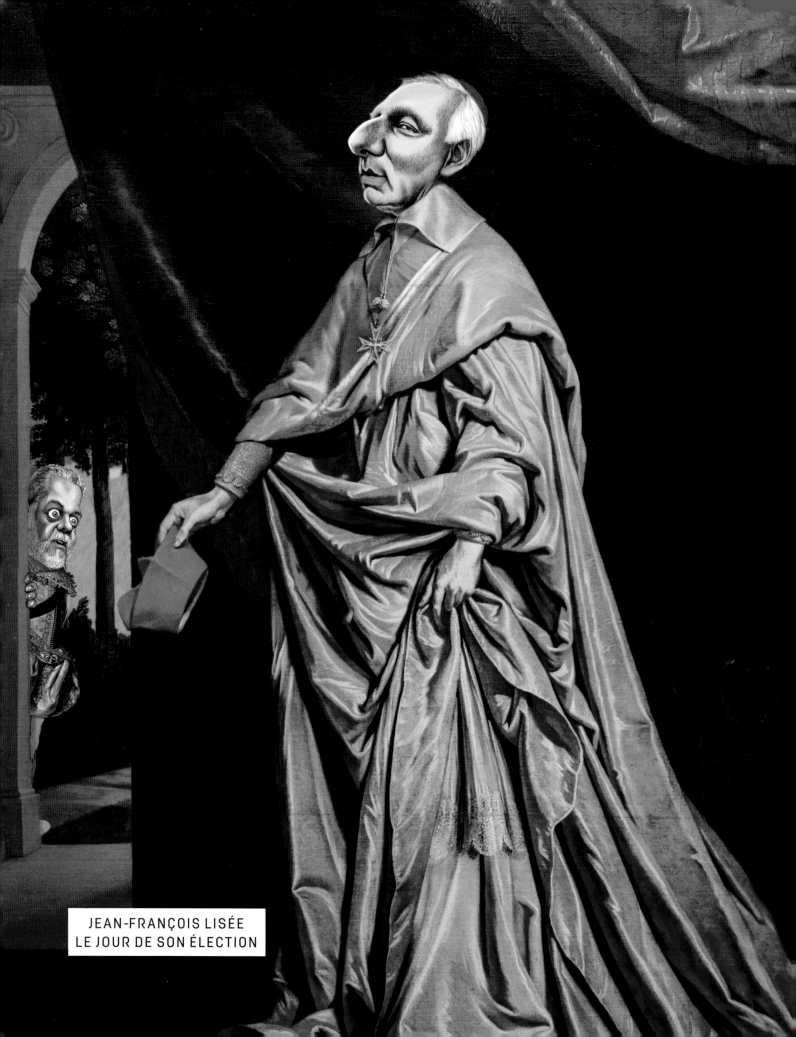

JEAN-FRANÇOIS LISÉE
LE JOUR DE SON ÉLECTION

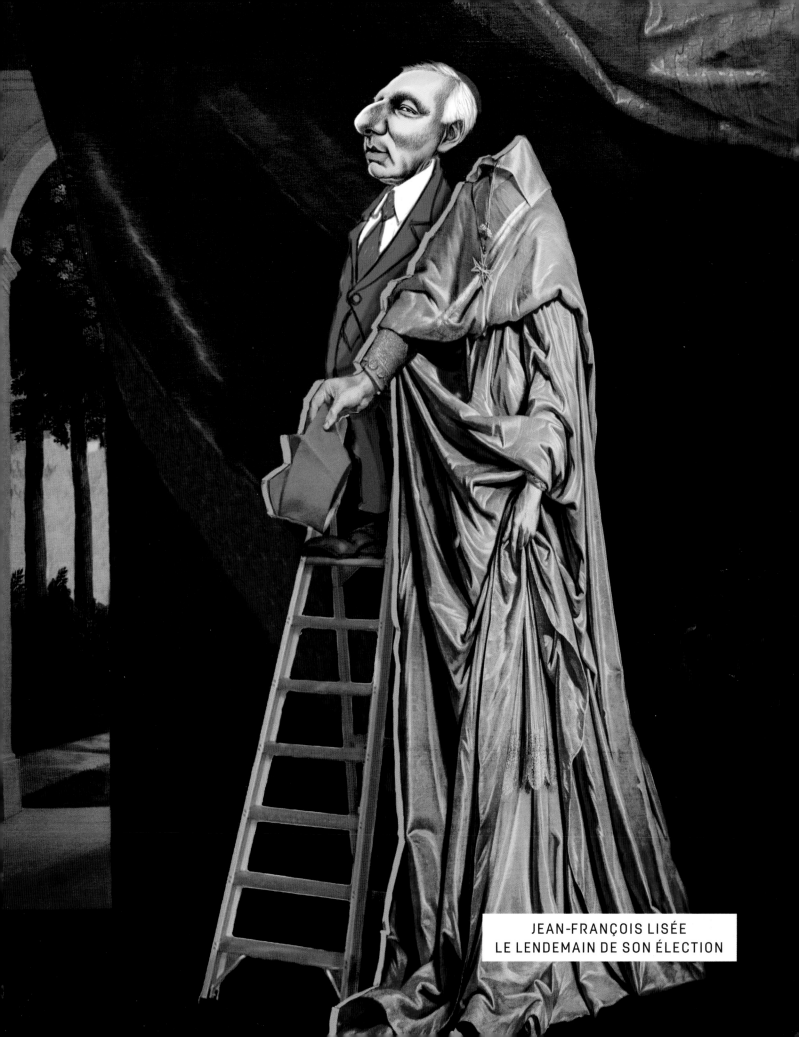

JEAN-FRANÇOIS LISÉE
LE LENDEMAIN DE SON ÉLECTION